Date: 12/16/20

SP E PAULI
Pauli, Lorenz,
¡Vaya un libro! /

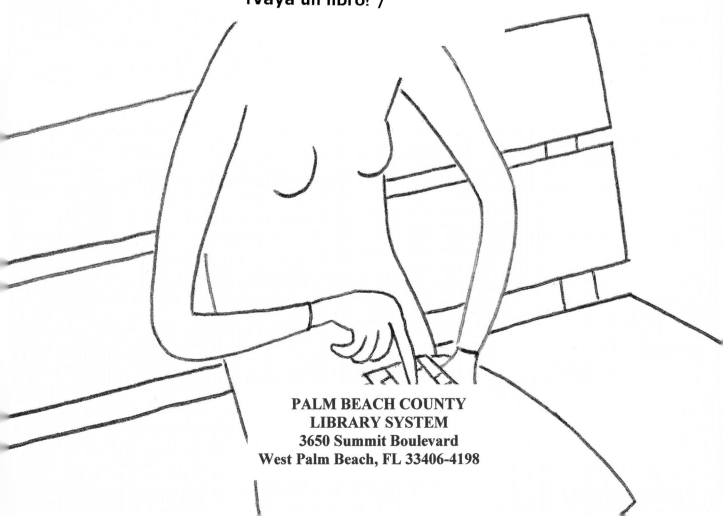

**PALM BEACH COUNTY
LIBRARY SYSTEM**
3650 Summit Boulevard
West Palm Beach, FL 33406-4198

Y0-ARY-264

La señora Manzanilla exclama sorprendida:

—¡Vaya, un libro!

Javi refunfuña:

—¡Pues claro! Un libro ilustrado. Es que el regalo era para mí. Solo quería enseñarte que he recibido un regalo.

La señora Manzanilla resopla:

—¡Anda, lo siento! ¿Cómo puedo compensarte?

Javi brilla de alegría:

—¡Podemos mirar el libro juntos!

Para Hans

Título original: Oje, ein Buch!
de Lorenz Pauli (texto) y Miriam Zedelius (ilustraciones),
Atlantis, un sello de Orell Füssli Verlag
© 2018 Orell Füssli Verlag Sicherheitsdruck AG, Zúrich, Suiza
Esbozos del monstruo: Liselotte Zedeliu (7 años)
Maquetación: Volta Disseny
Traducción del alemán: Patric de San Pedro
© 2019, de la presente edición, Takatuka SL, Barcelona
Primera edición en castellano: febrero de 2019
www.takatuka.cat
Impreso en Novoprint, Sant Andreu de la Barca (Barcelona)

ISBN: 978-84-17383-31-2
Depósito legal: B 3777-2019

El autora y la ilustradora conocen la diferencia entre política y libros:
en los libros se avanza hacia la derecha.

FSC
www.fsc.org
MIXTO
Papel procedente de
fuentes responsables
FSC® C019520

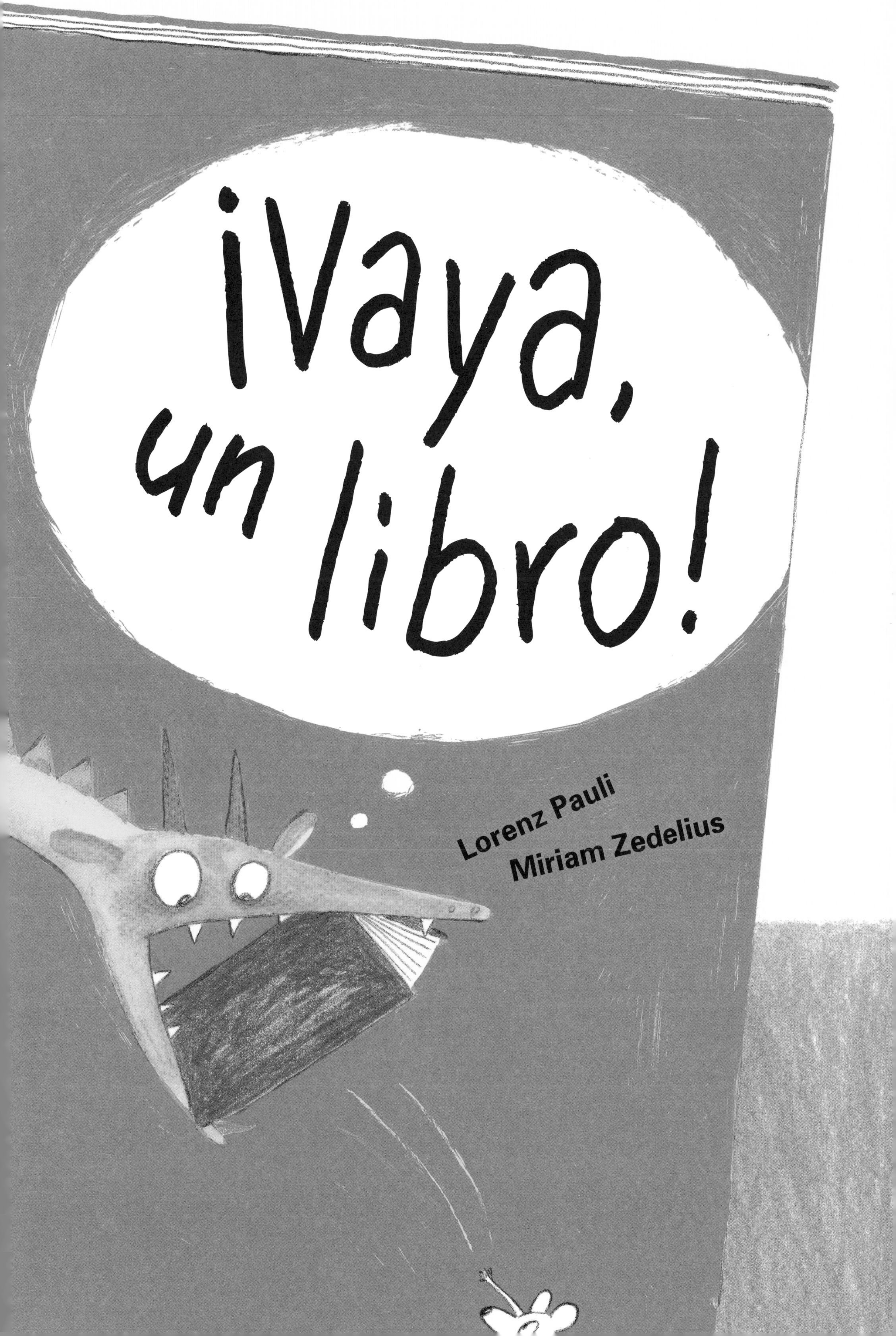
¡Vaya, un libro!
Lorenz Pauli
Miriam Zedelius

—¡Muy bien! —dice la señora Manzanilla.
Toma el libro en sus manos y espera. No pasa nada.
—¡Vaya! —dice finalmente—, parece que no funciona. No cuenta nada.

Javi se queda observando a la señora Manzanilla:
—Pero tú ya sabes cómo va esto, ¿no? Hay que leer en voz alta. Así es
como se hace. Se empieza aquí delante, arriba, a la izquierda.

La señora Manzanilla lee: **Había una vez una casita encima de la montaña. Alguien llamó a la puerta...**

La señora Manzanilla se para a escuchar:
—¡Pero si no se oyen los golpes!
Javi suspira:
—Te lo tienes que imaginar.
—¿Y quién está en la puerta? —pregunta la señora Manzanilla.
—Eso lo sabremos en la página siguiente. Se lee siempre de izquierda a derecha. Luego se pasa la página. ¡Pasa la página, por favor! Has de pasar la página, no el dedo... —dice Javi.

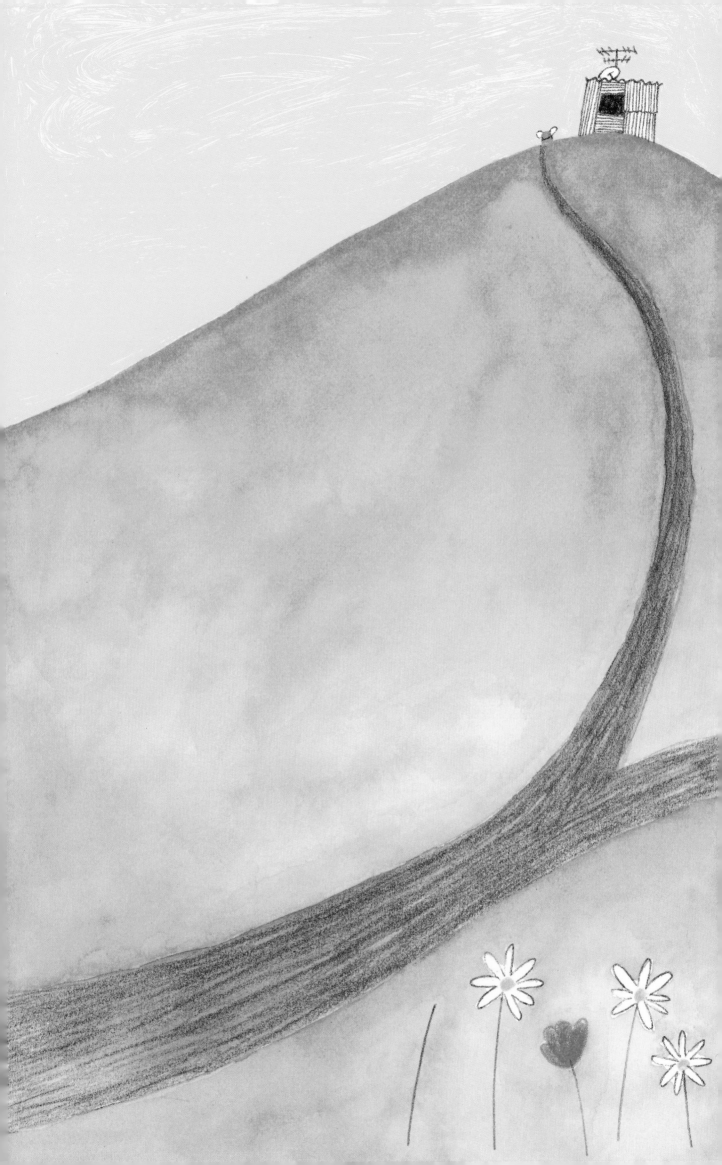

La señora Manzanilla sigue leyendo: **En la puerta había una ratona.**

La señora Manzanilla niega con la cabeza:
—Eso no es posible. Las ratonas no pueden llamar a la puerta. Eso es mentira.
Javi le explica haciendo acopio de paciencia:
—En un libro sí que pueden. Allí todo es posible. ¿Continúas leyendo, por favor?

La señora Manzanilla lee: **La ratona se había perdido y buscaba un lugar donde pasar la noche.**

—¿Y quién vive en la casa? —quiere saber la señora Manzanilla.
—De izquierda a derecha... —responde Javi.
—Ah, sí —la señora Manzanilla pasa la página.

Por fin se abrió la puerta...

¡PLAF! La señora Manzanilla cierra el libro.
Javi la mira interrogativo:
—¿Por qué has cerrado el libro? La historia acaba de comenzar.
La señora Manzanilla traga saliva:
—Espero haber sido suficientemente rápida. Resulta que quien
abría la puerta era... un gato. No quiero que le pase nada a la
pobre ratona.

Pero Javi quiere saber cómo sigue la historia.
Abre el libro, busca la página que tocaba y mueve la cabeza:
—Creo que te has equivocado a propósito. Tienes que leer, no inventarte las cosas. No sale ningún gato. Tendremos que ser valientes. En la casa, en realidad, vive un monstruo.
Javi se arrima a la señora Manzanilla. Así ninguno de los dos tendrá miedo.

—Hola, monstruo —dice la ratona—. Busco un lugar
donde pasar la noche.
—Aquí no, ni pensarlo —gruñe el monstruo.

A Javi no le parece suficiente:
—¡Has de gruñir!
La señora Manzanilla lo intenta. Gruñe, ruge y brama.

—Si duermes afuera, te comeré para desayunar. Me encantan las ratonas fresquitas.

La ratona respondió temblorosa:

—¿Es que no vas a tener piedad de mí?

—¡Eso nunca!

—¿Estás seguro de que está bien eso de ir comiéndose a los demás?

—¡Segurísimo!

**¡ÑAM!, hizo la ratona y se tragó al monstruo de un bocado.**

La señora Manzanilla le grita al libro:
—¡Eso no es posible!
Javi se encoge de hombros:
—Sí, claro que sí. En un libro todo es posible.
La señora Manzanilla quiere saber:
—¿Y a ti te parece bien así?
Javi se queda pensando, inseguro:
—Eso depende de cómo se mire...

La ratona se instaló en la casa y se quedó dormida.
Unos golpes la despertaron...

La señora Manzanilla pregunta con cuidado:
—¿Cómo se puede programar quién va a estar ahora en la puerta?
Javi niega con la cabeza:
—Eso no se puede programar. Eso ya está todo dentro del libro.
Solo hay que seguir leyendo.
—Ah, muy bien —dice la señora Manzanilla.
Unos golpes la despertaron...

Delante de la puerta se había plantado un dragón que siseó:
—Quería preguntarle al monstruo si me podía dar uno o dos ratones.
No he tenido tiempo de ir a comprar nada para el desayuno.
—Lo siento mucho —dijo la ratona—, el monstruo no puede salir
ahora. Pero no te quedes ahí afuera, pasa.

—Sí, pero... —suspira la señora Manzanilla.
—¡Shhht! —la acalla Javi, y luego le susurra—:
¡Sigue de izquierda a derecha...! —y se le arrima
un poquito más.

El dragón le dio las gracias y entró en la casa. Entonces se quedó mirando a la ratona de arriba a abajo:

—¿No serás tú acaso una ratona?

—¡Acertaste! Soy una ratona.

La señora Manzanilla empieza a girar y voltear el libro:

—¿Me puedes decir dónde se puede apagar esto? ¿O al menos cómo cambiar de cuento?

Javi no puede contener una sonrisa:

—Estás bromeando, ¿no? Sabes perfectamente que los libros no cambian nunca. Así son las cosas.

Javi prosigue él mismo con el relato. No sabe leer, pero ve los dibujos:
—¡El dragón enseña sus garras y escupe fuego! ¡Mira cómo la ratona
tira un libro a una de las fauces del dragón! ¿Y qué pasará ahora?
La señora Manzanilla dice conteniendo la respiración:
—De izquierda a derecha...

Javi asiente satisfecho:

—Ya me lo imaginaba. Ahora se ha quemado también la casa. Una pena, ¿verdad?

La señora Manzanilla mueve la cabeza de un lado a otro:

—No era una casa especialmente bonita. Aunque eso depende de cómo se mire...

A Javi le gustaría seguir reflexionando sobre eso, pero algo llama su atención:

—¡Fue en este cruce donde la ratona se perdió por la noche! Ahora es de día. Mira lo que hay en el bosque de enfrente, una cosa muy pequeñita. ¿Podría ser la casa de la ratona?

La señora Manzanilla pone su pulgar y su dedo índice sobre el papel y los separa.

Javi sonríe:

—¡Bueno, ahora en serio! Eso no se puede agrandar así. Se tiene que...

La señora Manzanilla asiente y pasa la página.

En un margen del bosque estaba la casa de la familia Ratón. Los ratoncitos saludaron con la mano a la mamá ratona que, por fin, regresaba a casa:

—¿Dónde has estado?

La ratona acarició el pelaje de sus hijos:

—De repente, me olvidé de dónde estaba la izquierda y la derecha, y me perdí. Pero he vuelto y ahora ya me acuerdo: la izquierda está aquí.

Los ratoncitos se rieron:

—No, aquí está la derecha.

—Eso depende de cómo se mire —dijo la ratona.

Javi se queda pensando:

—Claro, al revés es al revés.